Collection MONSIEUR

MONSIEUR MADAME

Monsieur RIGOLO

Roger Hargreaves

hachette
JEUNESSE

Monsieur Rigolo habitait dans une théière !

Elle avait deux chambres, une salle de bains
une cuisine et un salon.

Elle plaisait beaucoup à monsieur Rigolo.

Ce jour-là, monsieur Rigolo prenait son déjeuner.

Comme il n'avait pas très faim,
il mangea seulement un sandwich à la marguerite
et un verre de pain grillé.

– Délicieux, se dit-il,
lorsqu'il eut fini son drôle de déjeuner.

Après avoir déjeuné,
monsieur Rigolo alla faire une promenade en voiture.

La voiture de monsieur Rigolo était une chaussure.

As-tu déjà vu une voiture-chaussure ?

C'est très rigolo !

Sur son chemin,
monsieur Rigolo passa devant un ver de terre.

Le ver pensa que monsieur Rigolo,
dans sa voiture rigolote,
était la chose la plus drôle qu'il eût jamais vue.

Il se tordit tellement de rire
qu'il faillit se couper en deux !

Il passa devant un cochon.

Le cochon pensa que monsieur Rigolo,
dans sa voiture rigolote,
était la chose la plus drôle qu'il eût jamais vue.

Il rit tellement qu'il faillit en perdre sa queue !

Même les fleurs pensèrent
que monsieur Rigolo était
la chose la plus drôle au monde.

Elles rirent tellement
qu'elles faillirent perdre leurs pétales.

Monsieur Rigolo arriva enfin à un carrefour.

Ne sachant quel chemin prendre,
il regarda le panneau indicateur.

Sur l'une des pancartes, il vit « ZOO ».

– Ça risque d'être rigolo, pensa monsieur Rigolo.

Et il prit la direction du zoo.

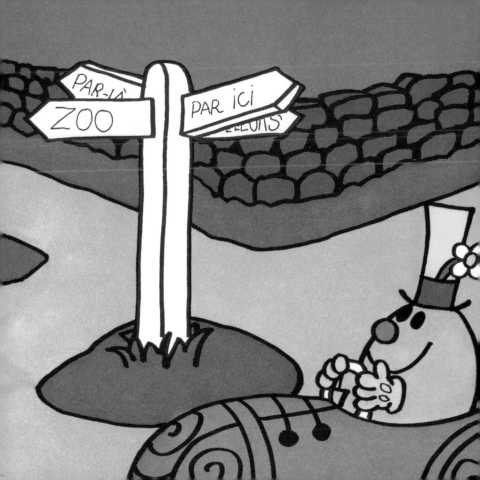

Quand il arriva devant la porte du zoo,
monsieur Rigolo dut s'arrêter.

– Je suis désolé, lui dit le gardien.
Nous avons été obligés de fermer le zoo,
car tous les animaux sont enrhumés
et cela les rend bien tristes.

– Oh ! quel dommage ! s'exclama monsieur Rigolo.
Puis il réfléchit.

– Et si j'essayais de les faire rire ? dit-il au gardien.

– D'accord, répondit celui-ci.
Cela vaut la peine d'essayer, et il ouvrit la porte.

Monsieur Rigolo roula à l'intérieur du zoo.

Dans sa chaussure.

Le premier animal qu'il vit fut un éléphant.

Cet éléphant avait l'air bien triste.
Vraiment très triste.

Monsieur Rigolo s'approcha de lui
et regarda sa triste mine.

Et l'éléphant à la triste mine
regarda monsieur Rigolo.

Alors sais-tu ce que fit monsieur Rigolo ?

Il fit une grimace rigolote !

Monsieur Rigolo, comme tu l'imagines,
s'y connaissait en grimaces rigolotes.

L'éléphant gloussa.

Il n'avait jamais rien vu d'aussi drôle.

Monsieur Rigolo fit une autre grimace rigolote.

L'éléphant éclata de rire.

Il rit si fort qu'il faillit en perdre sa trompe.

Et il se sentit beaucoup, beaucoup mieux.

Monsieur Rigolo se dirigea alors
vers la fosse aux lions.

Il y avait là un lion
qui avait l'air extraordinairement triste.

Monsieur Rigolo s'approcha de lui
et regarda sa triste mine.

Et le lion à la triste mine regarda monsieur Rigolo.

Monsieur Rigolo fit une grimace très rigolote.

Tu as déjà entendu rugir un lion, n'est-ce pas ?

Eh bien, ce lion se mit à rugir lui aussi
mais il rit en même temps.

Et il rit si fort qu'il faillit en perdre sa crinière.

Monsieur Rigolo fit le tour du zoo
pour voir les autres animaux.

Oh, comme ils avaient l'air triste !

À chacun d'eux, monsieur Rigolo fit des grimaces
de plus en plus rigolotes.

Le gros ours brun sourit,
puis rit si fort qu'il en tomba sur le derrière.

Et la girafe rit si fort
qu'elle faillit faire un nœud avec son cou.

Et l'hippopotame rit si fort
que son gros ventre faillit éclater.

Les pingouins, eux, rirent tant et tant
qu'ils faillirent perdre leurs ailes.

Quant au léopard, il rit si fort
qu'il faillit perdre toutes ses taches.

Quel tintamarre !

– Oh ! monsieur Rigolo, dit le gardien du zoo,
entre deux éclats de rire,
merci, merci beaucoup.
Grâce à vous, les animaux ne sont plus tristes.

– C'est tout naturel, vous savez,
répondit monsieur Rigolo modestement. Et il repartit.

Dans sa chaussure !

Plus tard, lorsque monsieur Rigolo arriva chez lui,
il s'esclaffa.

– Eh bien, dit-il, une journée de plus
qui se termine.

Il gara sa chaussure, entra dans sa théière,
et comme il avait soif, il se fit…

… une bonne tasse de gâteau chaud !

LA COLLECTION MADAME C'EST AUSSI 45 PERSONNAGES

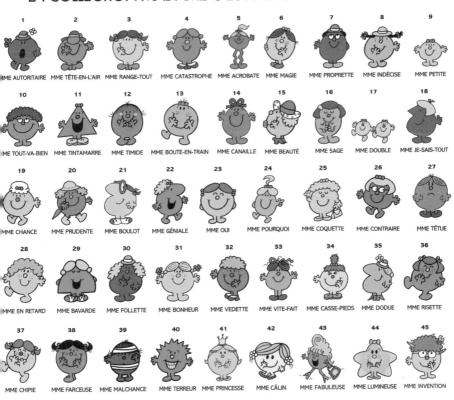

1. MME AUTORITAIRE
2. MME TÊTE-EN-L'AIR
3. MME RANGE-TOUT
4. MME CATASTROPHE
5. MME ACROBATE
6. MME MAGIE
7. MME PROPRETTE
8. MME INDÉCISE
9. MME PETITE
10. MME TOUT-VA-BIEN
11. MME TINTAMARRE
12. MME TIMIDE
13. MME BOUTE-EN-TRAIN
14. MME CANAILLE
15. MME BEAUTÉ
16. MME SAGE
17. MME DOUBLE
18. MME JE-SAIS-TOUT
19. MME CHANCE
20. MME PRUDENTE
21. MME BOULOT
22. MME GÉNIALE
23. MME OUI
24. MME POURQUOI
25. MME COQUETTE
26. MME CONTRAIRE
27. MME TÊTUE
28. MME EN RETARD
29. MME BAVARDE
30. MME FOLLETTE
31. MME BONHEUR
32. MME VEDETTE
33. MME VITE-FAIT
34. MME CASSE-PIEDS
35. MME DODUE
36. MME RISETTE
37. MME CHIPIE
38. MME FARCEUSE
39. MME MALCHANCE
40. MME TERREUR
41. MME PRINCESSE
42. MME CÂLIN
43. MME FABULEUSE
44. MME LUMINEUSE
45. MME INVENTION

Traduction : Laure Danuciel
Révision : Évelyne Lallemand
Édité par Hachette Livre, 58 rue Jean Bleuzen 92178 Vanves Cedex.
Dépôt légal : février 2004
Loi n° 49-956 du 16 juillet 1949 sur les publications destinées à la jeunesse.
Achevé d'imprimer par Canale en Roumanie.